D1297696

Traduit de l'anglais
par Anne Krief

ISBN : 978-2-07-065958-6
Titre original : *Revolting Rhymes*
© Édition originale publiée par Jonathan Cape Ltd., Londres, 1982
© Roald Dahl Nominee, Ltd., 1982, pour le texte
© Quentin Blake, 1982, pour les illustrations
© Éditions Gallimard Jeunesse, 1982, pour la traduction française
N° d'édition : 264679
Loi n° 49-956 du 16 juillet 1949 sur les publications destinées à la jeunesse
Premier dépôt légal : février 1995
Dépôt légal : février 2014
Imprimé en Espagne par Novoprint (Barcelone)

Roald Dahl

Un conte peut en cacher un autre

illustré par Quentin Blake

GALLIMARD JEUNESSE

CENDRILLON

Vous croyez, j'en suis sûr, connaître
   cette histoire.
Vous vous trompez : la vraie est bien plus
   noire,
Ou rouge sang, si vous voulez.
La fausse, que vous connaissez,
Fut fabriquée, ou inventée,
Et sans scrupule trafiquée,
Afin que tout y soit mollasson,
   niaisouillard,
Le genre à faire le soir
   s'endormir les moutards.
Pour le début, d'accord,
   c'était pas mal parti.
Ça s'est passé comme ça :
   au milieu de la nuit,
Les deux méchantes sœurs
   vont en grand tralala
Au bal du palais danser
   la mazurka,

Laissant Cendrillon, la timide,
Enfermée dans la cave humide
Où les rats, plutôt affamés,
Cherchent à lui grignoter les pieds.
« À l'aide ! laissez-moi sortir ! » crie-t-elle.
La bonne fée entend Cendrillon
    qui l'appelle.
Nimbée de lumière, elle s'amène :
« Ma chérie, qu'est-ce qui se passe ?
– Ce qui se passe, marraine ? Je suis
    dans la mélasse
Pendant que mes sœurs en dansant
    se prélassent ! »
De rage, frappant le mur comme un vrai
    punching-ball
Elle crie à sa marraine : « Je veux aller
    au bal !
Il y a au palais une surboum-partie,
Et je moisis ici, folle de jalousie !
Je veux une robe à pois ! Un carrosse
    d'apparat,
Des perles et un diamant de quarante
    carats,

Des pantoufles argentées fourrées
    de vison,
Et un mignon collant de soie et de nylon !
Il ne se peut qu'ainsi me voie ce joli prince
Sans qu'aussitôt pour moi, amoureux,
    il en pince !
– Ne t'en fais pas, répond la fée, j'ai
    la pratique
Du tourisme à coups de baguette
    magique. »
Aussitôt dit, aussitôt fait :
Cendrillon se retrouve au bal du palais.
Les méchantes sœurs grimacent de dépit
En la voyant valser avec celui
Qui entre ses bras étant pris
De Cendrillon se trouve épris.
Elle le tient serré, suffoquant,
Se pressant contre son torse puissant.
Le prince trop pressé se transforme
    en purée,
Il étouffe d'amour, il est pris du hoquet.
Mais soudain minuit sonne. La belle
    s'écrie : « Zut !

Il faut que je me sauve sans perdre une
minute ! »
Le prince se lamente : « Déjà ? Non !… »
Il soupire.
Il s'agrippe à sa robe ; il veut la retenir.
Mais Cendrillon : « Laissez-moi, laissez-
moi donc partir ! »
Le prince tire si fort, la robe se déchire.
Cendrillon s'enfuit sans que rien
l'emmitoufle
Et vlan ! dans l'escalier, elle perd une
pantoufle,
Sur laquelle le prince se jette dare-dare.
Il la brandit, et devant l'assemblée
déclare :
« Celle au pied de qui cette pantoufle ira,
Demain matin ma fiancée sera !
Qu'on fouille la ville à fond,
Il faut retrouver Cendrillon ! »
Ayant ainsi parlé, plein de
désinvolture
Il pose la pantoufle près d'un
pot de saumure.

Mais ne voilà-t-il pas qu'une des
  méchantes sœurs
(Celle dont les boutons vous donnaient mal
  au cœur)
S'empare prestement de ce charmant
  objet
Et s'en va le jeter dans les water-closets.
Puis à sa place elle pose (coup en vache
  assez moche)
La pantoufle qu'elle ôte de son propre pied
  gôche.
Ah ! Ah ! Sur Cendrillon l'étau tôt
  se resserre
Et l'on peut voir sa chance la valise
  se faire.
Le lendemain le prince s'en va sans plus
  attendre
Frapper à chaque porte pour retrouver
  sa tendre.
Dans chaque foyer c'est
  l'anxiété.
À qui peut être ce
  soulier ?

Il est long, il est large, il bâille énormément,
Un pied normal s'y perdrait totalement,
Et de plus, il sent fort, comme un vieux
    roquefort,
Comme quand la marée s'est retirée du port.
Des milliers d'habitants essaient pourtant
    la chaussure
Mais c'est en vain : il n'y a personne
    à sa pointure.
Le tour arrive enfin des deux méchantes
    sœurs.
La plus laide l'essaie. Le prince hurle
    d'horreur,
Mais elle s'écrie : « Il me va ! Il me botte !
    Sensass !
Il ferait beau voir que tu ne
    m'épousasses ! »
Le prince pâlit jusqu'au nombril et même
    ailleurs.
Il bafouille : « Excusez, j'ai un rendez-vous
    très urgent.
– Pas question, répond la pécore. Tu dois
    tenir ton serment

Et mon pied a trouvé sa place dans
  la fameuse godasse !
– Qu'on lui coupe la tête ! » rugit alors
  le prince.
Un soldat d'un grand coup d'épée
Détache proprement la tête de la pépée.
Le prince est ravi : « Sa tête lui allait
  très mal. »
La seconde méchante sœur ramène
  sa figure
Et dit : « À moi de jouer ! Qu'on me passe
  la chaussure !
– Essaie plutôt ça ! » glapit sans autre
  harangue
Le prince. Avec sa grande épée il la frappe,
  et bang !
Une autre tête tombe dans un flot de sang,
Rebondit sur le sol et roule un instant.
Du fond de la cuisine, épluchant des
  patates,
Cendrillon entend le bruit mat
Des têtes qui tombent et roulent comme
  des citrouilles.

Elle passe la tête par la porte et dit :
« Quel est ce charivari ?
– Mêle-toi de tes oignons ! » répond
le malappris.
Le cœur de la pauvrette alors se brise en
miettes.
« Mon Prince ! s'émeut-elle. C'est un
trancheur de têtes !
Je refuse absolument d'épouser
Celui qui coupe des têtes pour s'amuser ! »
Le prince éructe : « Qui est cette souillon
bancroche ?
Qu'on lui coupe la tête ! Qu'on lui coupe
la caboche ! »
Soudain, toujours suivie de son flot de
lumière
La bonne fée surgit devant Cendrillon,
pas fière,
Et fait tourbillonner sa baguette magique.
« Cendrillon ! s'écrie-t-elle, fais un vœu.
Demande-moi tout ce que tu voudras
et crois-moi,
Pour le réaliser il ne tiendra qu'à moi. »

Cendrillon répond : « Marraine, bonne fée,
Cette fois-ci je ne me ferai pas piéger.
Je ne veux plus de princes, je ne veux pas
d'argent,
De ces douceurs-là j'ai eu mon comptant.
Je voudrais épouser un homme sans
histoire,
Quelqu'un de bien qui ne soit pas trop
poire. »
Une minute après, Cendrillon
Épousait un gars très mignon
Fabricant de confiture d'oranges et
citrons ;
Il vend de la marmelade faite à la maison.
Leur maison est remplie de rires et de jeux ;
Ils vivent depuis lors tranquilles et
heureux.

JACQUES ET LE HARICOT MAGIQUE

La mère de Jacques pleure : « On est dans
la mélasse !
Va chercher un pigeon ; trouve un gars
plein aux as
Et vends-lui notre vache. Dis qu'elle est
en pleine forme,
Qu'on nous en a déjà proposé une somme
énorme,
Mais surtout fais en sorte d'éviter qu'il
comprenne
Qu'elle était déjà vieille avant
Mathusalem. »
Jacques s'en alla donc avec la vache
Prune,
Et lorsqu'il s'en revint, vers le soir,
à la brune,
Il dit : « Devine un peu, petite maman
chérie,

Quelle superbe affaire ton fils a réussie.
Tu peux me faire confiance, quand
  je marne, je marne
Et j'ai tiré un max de cette vieille carne. »
La mère lui répond : « Espèce de voyou,
Je parie que tu l'as fourguée pour quatre
  sous ! »
Jacques sort de sa poche un haricot
  minable ;
Sa mère suffoquée devient désagréable
Et maudit son garçon d'une voix d'outre-
  tombe :
« Je suis abasourdie ! C'est trop ! Les bras
  m'en tombent !
Espèce de crétin ! As-tu eu le culot
De vendre notre Prune pour un maigre
  fayot ? »
Elle attrape la graine et s'écriant :
  « Nigaud ! »
Jette sur le fumier le triste haricot.
Puis rassemblant toute son énergie,
Elle rosse le gamin une bonne heure
  et demie.

Et ce qui était d'une méchanceté
  à faire peur
C'est qu'elle se servit d'un
  manche d'aspirateur !
Mais vers dix heures du soir,
  à peu de chose près,
Le petit haricot entreprend de
  germer.
Le lendemain matin il
  arrive à l'étage
Et sa tête à midi se perd dans
  les nuages.
Jacques alors s'écrie : « Il faut que
  tu l'admettes,
Ce haricot vaut mieux que
  notre vieille bête ! »
La mère lui répond : « Espèce de zozo !
Qu'est-ce que tu veux manger !
  Pas un seul haricot !
Cette chose qui monte ressemble à
  une échelle !
– Non, non ! proteste Jacques,
  regarde vers le ciel,

Regarde tout là-haut et tu t'apercevras
Que les feuilles sont en or de qualité extra. »
Et saperlipopette, le gamin a raison.
Brillant de mille feux jusques à l'horizon
Le haricot de Jacques a mille feuilles d'or !
La mère stupéfaite reconnaît ses torts,
La tête lui tourne : « Par la fée Carabosse,
On vend la Deux-Chevaux, on s'achète
    une Rolls !
Ne reste pas bouche bée, espèce de ballot,
Grimpe vite là-haut et rafle le magot ! »
Jacques est très bon en gymnastique ;
La tige, pour grimper c'est vraiment très
    pratique !
Notre ami jusqu'en haut s'est hissé d'une
    traite,
Et le voilà déjà presque arrivé au faîte
Quand une chose horrible se produit
Qui laisse Jacques tremblant et transi :
Une énorme voix, semblable au tonnerre,
Fait trembler le ciel, la terre et la mer.
Que dit la grosse voix ? « Grum Grum
    Miam Miam Hé ! Hé !

Ça sent la chair fraîche ; un garçon
à croquer ! »
Jacques est terrorisé ;
Jacques devient livide.
Il redescend à fond de
train, un vrai bolide.
« Maman ! sanglote-t-il,
maman, je te le jure,
Il y a quelqu'un là-haut, un ogre,
un monstre, un dur !
Je l'ai vu, entendu, ça m'a glacé les sangs.
C'est un géant armé d'un nez ultra-
puissant !
– D'un nez ultra-puissant ? dit la mère.
Allons bon ! Mais tu es tombé sur la tête
mon fiston !
– Il m'a flairé, maman, en disant : "Ça sent
bon !"
Il a dit qu'il avait reniflé un garçon. »
La mère réplique alors :
« Les enfants sales sentent fort
Ne pas se laver est un tort
Car l'odeur excite les carnivores !

Ta propre mère est dégoûtée
Rien qu'à l'odeur de ta saleté ! »
Jacques répond : « Puisque tu es si propre
  que ça
Vas-y, toi, grimpe donc à ce haricot-là !
– Chiche ! s'écrie la mère. Je vais te
  montrer, petit saligaud,
Que l'auteur de tes jours a de bons
  biscotos ! »
Puis, retroussant sa juge et crachant dans
  ses mains,
Elle disparaît en un tournemain.
Le géant va-t-il renifler maman ?
Va-t-il trouver qu'une maman c'est du
  nanan ?
Les yeux fixés sur la cime, Jacques
  se demande
Comment va réagir la créature gourmande.
Et soudain de là-haut se fait entendre
Le bruit de l'ogre qui mâche la maman
  peu tendre.
Le géant, la bouche pleine, marmonne
  par deux fois :

« Pristi ! Quel goût exquis, c'est du vrai
    pâté d'foie
Toutefois, toutefois (d'un ton vraiment
    féroce)
Pour du pâté d'foie, y a quand même
    beaucoup d'os !
– Fichtre ! s'écrie Jacques. Quelle
    calamité !
De maman, le géant n'a fait qu'une
    bouchée.
Il l'a reniflée et toute crue avalée.
Je me doutais bien qu'elle sentait très
    mauvais. »
Jacques considère avec envie, songeur,
Le grand arbre doré comme par un doreur,
« Flûte de mince ! ronchonne-t-il à mi-voix,
Je ferais bien de me laver une bonne fois
Si je veux à cet arbre grimper
Sans être par le géant reniflé.
En vérité un bain est la seule solution ! »
Il se rua chez lui et saisit le savon,
S'en frotta tout le corps à gestes vigoureux,
Il se frictionna même et rinça les cheveux,

Il se brossa les dents et se moucha le nez,
Sortit enfin sentant bon la fleur d'oranger.
À nouveau, il grimpa en haut du haricot.
Le géant était là, très immonde et très gros,
Grommelant entre ses chicots pleins
    de trous
(Tandis que Jacques tremblant attendait
    en dessous)
Grommelant très fort : « Grom Grom
    Grom !
Pour l'instant je ne sens personne ! »
Quand enfin dans le sommeil le géant
    sombra,
Petit Jacques le long des branches se
    glissa.
Il ramassa tant d'or, des
    centaines de feuilles,
Qu'il devint multimillionnaire
    en un clin d'œil.
« Un bain, dit-il, voilà
    qui semble être payant !
Je vais en prendre un
    tous les jours à présent. »

BLANCHE-NEIGE
ET LES SEPT NAINS

Quand la mère de Blanche-Neige mourut,
Le roi, son père, dit d'un ton bourru :
« Ah ! Quel ennui, perdre sa femme !
Il faut trouver une autre dame. »
(Pour un roi il n'est jamais pratique
De se procurer ce genre d'article.)
Il fit paraître une annonce dans les
    journaux :
« Roi cherche reine », disait le texte en peu
    de mots.
De milliers de jeunes filles il reçut
    la réponse,
Qui voulaient être reines par petites
    annonces.
Le roi déclara avec un air sournois :
« J'aimerais bien les essayer une fois. »
Il finit par choisir pourtant
Une demoiselle Machin-Chose
Qui possédait un teint de rose

Et un gadget intéressant :
C'était un miroir qu'un cadre de cuivre
   ornait,
Un miroir magique qui parlait français.
Quand on l'interrogeait
Sur n'importe quel sujet
Il répondait sans hésiter.
« Miroir, qu'y a-t-il pour le déjeuner ? »
Le miroir répliquait aussi sec :
« Aujourd'hui, c'est purée et beefsteak. »
La nouvelle reine, très bête et vilaine,
Demandait au miroir, chaque jour de
   la semaine :
« Miroir, miroir, dis-moi un peu

Qui est la plus belle à tes yeux ? »

Et chaque fois on entendait la ritournelle :

« Ô Madame la Reine, c'est vous la plus
    belle.

La plus belle de ce palais,

Belle comme un oiseau népalais ! »

Pendant dix années, la stupide reine

Se livra à sa marotte quotidienne.

Mais tout à coup, un beau jour qui ne
    l'était pas,

Le miroir magique brusquement déclara :

« Reine, tu te retrouves numéro deux.

Blanche-Neige est la plus belle à mes
    yeux ! »

La reine encaissa mal le coup

Et cria : « Je vais lui tordre le cou !

Son compte est bon ! Je vais la faire
    dépecer

Et me ferai servir ses tripes pour dîner ! »

La reine fit venir le chasseur de la cour

Et lui ordonna : « Emmène-la faire un tour.

Quand vous serez loin, tout au fond
    des bois,

Enfonce-lui trois fois ton couteau dans
   le foie.
Ouvre ses côtes, fouille dedans
Et ramène-moi son cœur fumant ! »
Le chasseur entraîna l'enfant si ingénue
Au fond de la forêt, loin des sentiers
   battus.
Comprenant la combine, la pauvrette
   supplia :
« S'il vous plaît, soyez bon et ne me
   tuez pas ! »
La dague était levée, le bras était puissant.
Elle supplia encore : « Mon cœur est
   innocent ! »
Du dur chasseur lui-même se ramollit
   le cœur
Qui fondit à l'instar d'une motte de beurre.
Il murmura : « Allez, va-t'en, c'est bon ! »
Et Blanche-Neige lui dit : « Merci, ciao
   mon bon ! »
Afin de se tirer d'affaire
Le chasseur va voir la bouchère
Et lui achète pour sauver sa peau

Un joli beefsteak et un cœur de veau.

« Reine, Majesté ! déclara-t-il d'une voix
    forte,

Ça y est ! Cette petite saleté est bien
    morte !

Comme vous me l'aviez demandé,

Voilà son cœur dans ce paquet. »

La reine s'exclama : « Bravissimo !
    Parbleu,

J'espère que tu l'as tuée à petit feu. »

Alors (et là ça devient vraiment dégoûtant)

La reine, à table, mangea le cœur à belles
    dents.

(J'espère seulement qu'elle l'avait bien fait
    cuire,

Le cœur bouilli est souvent dur comme
    cuir.)

Et pendant que la reine se régalait

Où Blanche-Neige était-elle donc passée ?
Elle a fait du stop pour aller en ville
(Quand on est mignonne, c'est toujours
     facile)
Et s'est engagée comme jeune fille au pair,
Cuisinière et bonne à tout faire,
Chez sept curieux petits bonshommes
Qui ne sont pas plus hauts que trois
     pommes.
Anciens jockeys, amateurs de chevaux,
Les sept petits messieurs ont un très gros
     défaut :
Ils vident leur bourse
En jouant aux courses
Et quand ils n'ont pas misé sur le bon
     baudet
Alors il n'y a pas de quoi dîner.
Blanche-Neige à la fin leur dit : « Si vous
     continuez,
Nous allons tous être ruinés.
Je connais un moyen pour nous tirer
     d'affaire.
Attendez-moi. Laissez-moi faire. »

Le soir même, la jeune fille
Arrive en stop au palais
Et sans être vue s'y faufile
Profitant de l'obscurité.
Le roi est dans son bureau
En train de compter l'argent des impôts.
La reine est dans son boudoir,
Mangeant du miel sur du pain noir ;
Les laquais sont tous endormis.
Blanche-Neige avance en catimini,
Traverse le grand vestibule
Décroche le miroir et emmène le bidule.
Quand Blanche-Neige est rentrée,
Elle demande au plus âgé
D'interroger le miroir.
« Demande-lui un tuyau pour voir.
– Miroir, dit le nain, tu es notre espoir,

Ne te moque pas de moi, s'il te plaît,
Nous sommes tous fauchés comme
   les blés !
Quel cheval remportera la course demain,
Au Grand Prix de Longchamp gagnera
   haut la main ? »
Et le miroir répond instantanément :
« Rantanplan, c'est le nom du gagnant.
– Merci, miroir ! » disent les nains
   émerveillés.
Ils embrassent Blanche-Neige sur le nez,
Puis vont chercher suffisamment de galette
Pour pouvoir jouer gros sur la brave bête.
Ils mettent leurs montres au clou, vendent
   leur vieux tacot,
Empruntent à droite, à gauche, à Paul
   et à Jacquot,
Font la manche aux carrefours,
Jouent du tambour dans les cours.
Les voilà à Longchamp, et bien
   évidemment,
Ils misent pour une fois sur la bonne
   jument.

À dater de ce jour et de cette heure,
Le miroir fit payer les bouqueméqueurs.
Aujourd'hui, grâce au miroir qui
pronostique,
Blanche-Neige et les sept nains ont une vie
sympathique.
Conclusion : Jouer ne rend pas fou
Pourvu que l'on gagne à tous les coups.

Boucle d'Or

Le célèbre conte atroce et
  méchant
N'est pas destiné, selon moi,
  aux enfants.
Il me semble mystérieux

Que des parents un peu sérieux
N'aient pas vu que cette histoire croque
Le portrait d'une horrible escroque.
Si l'on avait demandé mon avis
J'aurais fait boucler Boucle d'Or à vie.
Imaginez un peu quelle serait votre
  humeur
Si, ayant préparé un repas enchanteur,
Une bonne bouillie fumant dans la soupière,
Un café noir brûlant, du thé dans la théière,
Du miel, des confitures, des tartines
  grillées,
Le tout sur une table superbement dressée,
Un couvert pour vous, un autre pour papa,
Et le troisième pour votre petit gars,

Soudain papa s'écrie : « Bon sang
    de sapristi !
Ouille, ouille, ouille ! Elle est trop chaude,
    la bouillie !
Sortons un peu nous promener.
Elle refroidira et nous pourrons manger.
Un peu de marche le matin,
À la santé, ça fait du bien.
Rien de mieux qu'un peu de jogging
Pour apprécier la bonne cuisine ! »
Qui s'aviserait de contester
Que c'est une idée très sensée ?
D'autant qu'au petit déjeuner
Qui est vraiment très bien luné ?
À peine avez-vous mis le nez dehors
Que dans votre dos survient Boucle d'Or.
Ce petit oiseau de malheur
S'introduit dans votre demeure.
Et que découvre Boucle d'Or ?
Trois bols de bouillie remplis à ras bord,
Puis, sans même prendre le temps de
    s'attabler,
Elle saisit une cuillère et se met à manger.

Et je le répète, quel serait votre état
Si vous aviez préparé ce fameux repas
Pour qu'une gamine mal élevée surgisse
Et sans le moindre scrupule l'engloutisse ?
Mais attendez ! Vous n'avez rien vu
   cependant !
Maintenant, ça va être tout à fait révoltant.
Vous êtes femme d'intérieur,
Vous dénichez avec bonheur
De ravissants bibelots,
Bergers, bergères, angelots,
Commodes signées d'un grand nom,
Tableaux de peintres de renom ;
Il y a parmi vos trésors
Celui qu'entre tous on adore,
Une ravissante chaise d'enfant
Style Renaissance mil neuf cent.
Vous l'aimez, vous en êtes fière,
Elle vient de votre grand-mère.
Mais Boucle d'Or, cette barbare,
S'en moque bien. Les objets d'art,
Boucle d'Or n'en a rien à faire,
Et en posant son gros derrière

Sur cette pièce de première,

Elle la réduit en poussière.

Qu'aurait dit une petite fille bien élevée ?

« Quel malheur ! mon Dieu ! Qu'ai-je donc
   fait ? »

Mais Boucle d'Or jure et se fâche :

« Sale chaise ! Ordure ! Grande lâche ! »

Elle prononce des gros mots, des mots
   si gros, dans sa rage,

Qu'ils ne tiendraient pas dans ma page

Et que mon imprimeur, qui en a vu
   d'autres pourtant,

Rougirait de honte en les imprimant.

Si vous croyez que Boucle d'Or

Va arrêter là ses efforts,

Eh bien, non ! J'ai le grand déplaisir
   de vous dire

Que de nouvelles bêtises sont encore
   à venir.

Décidant qu'un petit somme lui ferait
   du bien,

Elle dit : « Voyons donc un peu quel lit
   me convient ! »

Elle monte au premier et les essaie tous
les trois.
(Et c'est une nouvelle catastrophe
que voilà !)
Sur un couvre-lit, vous ou moi,
Nous ne gardons pas nos souliers,
Mais Boucle d'Or dans les draps
Garde ses chaussures à ses pieds.
Elle a marché dans la boue,
Elle a marché un peu partout.
Sous son talon se trouvait collé
Ce qu'un chien dans la rue venait de
déposer.
Qu'auriez-vous donc pensé, imaginez
une seconde,
Si toutes ces saletés, d'allure
nauséabonde,
Avaient été étalées sur votre couvre-lit
Par cette révoltante petite chipie ?
(La fameuse histoire ne précise pas,
j'en suis sûr,
Que l'horrible gamine enlève ses
chaussures.)

Voyez comme ce conte fait l'éloge
   du crime !
Reprenons au début (attention à la rime !)
Premier crime, dossier de l'accusation :
Du domicile des plaignants, violation.
Deuxième crime, l'accusation poursuit :
Vol d'un bol de flocons d'avoine, cuits.
Troisième crime : Bris de mobilier,
La précieuse chaise de bébé.
Dernier crime : A sali des draps
   immaculés
Avec les cochonneries qu'elle traînait sous
   les pieds.
Un juge ordonnerait sans
   sourciller :
« Au bagne ! Pour dix
ans de travaux forcés ! »
Mais dans le livre,
   comme vous le verrez,
La petite peste s'en tire
   à bon marché,
Acclamée par les enfants
   de Rome à Tokyo

Aux cris de : « Hip Hip Hip Hourrah !
Youpi ! Bravo ! »

« Pauvre petite Boucle d'Or ! se sont-ils
    écriés,

Heureusement, elle a réussi à s'échapper. »

Quant à moi, je crois bien que j'aurais
    préféré

Pour Boucle d'Or une fin nettement moins
    gaie.

« Papa ! Viens voir ! s'écrie de l'ours
    le petit,

On m'a mangé ma bouillie ! Ce n'est pas
    gentil !

– Tu n'as qu'à monter, lui répond son
    papa,

Regarde bien et tu verras ta bouillie sous
    les draps.

Comme elle se trouve dans le ventre de
    la belle enfant,

Il va donc te falloir la manger en même
    temps ! »

LE PETIT CHAPERON ROUGE

Quand le loup sentit des tiraillements
Et que de manger il était grand temps,
Il alla trouver Mère-Grand.
Dès qu'elle eut ouvert, elle reconnut
Le sourire narquois et les dents pointues.
Le loup demanda : « Puis-je entrer ? »
La grand-mère avait grand-peur.
« Il va, se dit-elle, me dévorer sur
    l'heure ! »
La pauvre femme avait raison :
Le loup affamé l'avala tout rond.
Mais la grand-mère était coriace.
« C'est peu, dit le loup faisant la grimace,
C'est à peine s'il m'a semblé
Avoir eu quelque chose à manger ! »
Il fit le tour de la cuisine en glapissant :
« Il faut que j'en reprenne absolument ! »
Puis il ajouta d'un air effrayant :
« Je vais donc attendre ici un moment

Que le Petit Chaperon Rouge revienne

Des bois où pour l'instant elle se
  promène. »

(Un loup a beau avoir de mauvaises
  manières,

Il n'avait pas mangé les habits de grand-
  mère !)

Il mit son manteau, coiffa son chapeau,

Enfila sa paire de godillots,

Se frisa les cheveux au fer

Et s'installa dans le fauteuil de grand-
  mère.

Quand Chaperon Rouge arriva, essoufflée,

Elle trouva grand-mère plutôt changée :

« Que tu as de grandes oreilles, Mère-
    Grand !

– C'est pour mieux t'écouter, mon enfant.

– Que tu as de grands yeux, Mère-Grand !

– C'est pour mieux te voir, mon enfant ! »

Derrière les lunettes de Mère-Grand,

Le loup la regardait en souriant,

« Je vais, pensait-il, manger cette enfant.

Ce sera une chair plus tendre que la Mère-
    Grand ;

Après les merles, un peu secs, des
    ortolans ! »

Mais le Petit Chaperon Rouge déclara :
    « Grand-mère,

Tu as un manteau de fourrure du tonnerre !

– Ce n'est pas le texte ! dit le loup.
    Attends…

Tu devrais dire : "Comme tu as de grandes
    dents !"

Enfin… peu importe ce que tu me dis ou
    non,

C'est moi qui vais te manger, de toute
    façon ! »

La petite fille sourit, puis, battant des
  paupières,
De son pantalon, sortit un revolver.
C'est à la tête qu'elle visa le loup,
Et Bang ! l'étendit raide mort d'un coup.
Quelque temps après, dans la forêt,
Chaperon Rouge j'ai rencontré.
Quelle transformation ! Adieu rouge
  manteau !
Adieu ridicule petit chapeau !
« Salut ! me dit-elle, regarde donc, s'il te
  plaît,
Mon manteau en loup, comme il est
  croquignolet ! »

LES TROIS PETITS
COCHONS

Mon animal favori
Est le cochon, sans contredit.
Le cochon est charmant, il est intelligent,
Le cochon est courtois. Il est vrai cependant
Qu'il arrive parfois (quoique pas très
   souvent),
Que l'on tombe soudain sur un cochon
   dément.
Quelle serait votre réaction, s'il vous plaît,
Si un jour, vous promenant dans la forêt,
Vous tombiez nez à nez au détour d'un
   chemin
Ou plutôt nez à groin sur un cochon
Qui se serait construit une
   maison en paille ?
Un jour, un loup, gaillard
   assez canaille,
Tombe sur la maison de
   paille du cochon bon
   garçon.

« Ouvre-moi la porte, cochon, cher
   cochon !

– Nenni, non, par ma barbichette !

– Alors je vais souffler,
   cogner et défoncer
   ta maisonnette ! »

Le petit cochon fit
   sa prière,

Mais sa maisonnette
   vola en poussière.

Le loup s'exclama : « Bacon, rôti et
   jambon !

J'ai vraiment une veine de cochon ! »

Et, bien qu'il mangeât comme un glouton,

Il garda pour la fin la queue en tire-
   bouchon.

Le loup traîna un peu, l'estomac ballonné

Et, surprise des surprises, il tomba peu
   après

Sur une autre maison de cochon

Qui était faite de joncs.

« Ouvre-moi la porte, cochon, cher
   cochon !

– Nenni, non, par ma barbichette !

– Alors je vais souffler, cogner et défoncer
ta maisonnette !

Bon, allons-y ! » dit le loup.

Et il souffla comme un fou.

Le petit cochon poussa les hauts cris :

« Loup, tu as déjà mangé aujourd'hui !

Pourquoi ne pas parler et s'arranger ? »

Le loup répondit : « Tu peux repasser ! »

Et le petit cochon bientôt fut dévoré.

Deux succulents petits cochons ! glapit
le loup.

Et pourtant je ne suis pas rassasié du tout !

Je suis un peu ventripotent,

Mais c'est si bon d'être gourmand ! »

Dents pointues, babines retroussées,

Et, silencieux comme un chat,

D'une autre maison le loup s'approcha.

À l'intérieur, terrorisé,

Un autre cochon se cachait.

Mais ce troisième petit cochon

En avait dans le citron.

À la paille, aux joncs, il faisait la nique :

Il avait construit sa maison en briques.

« Tu ne m'auras pas ! s'écrie le cochonnet.

– Je vais souffler, cogner, taper et ta
    maison défoncer !

– Il te faudra beaucoup de souffle,

Et tu n'as rien dans les poumons ! »

Le loup vexé tape du pied, cogne et
    souffle,

Impossible de renverser la maison !

« Si je ne peux pas la fiche par terre,

Dit le loup, je la fiche en l'air !

Je reviens cette nuit, et pffuitt !

Je la fais sauter à la dynamite !

– Espèce de brute sans cœur !

J'aurais dû m'en douter ! »

S'écria le cochon, prenant
    le combiné.

Et aussi vite qu'il put,
    il composa trois zéros

Du Chaperon Rouge le numéro.

« Allô ! dit-elle, qui est là ?

– Cochonnet ! Comment va ?

J'ai besoin de toi, ma chère Chaperon,

Je t'en prie, aide-moi, implora le cochon.

– Si je peux t'aider, ce sera volontiers.

– C'est une affaire de loup, ta grande
spécialité !

Il est devant chez moi !

Je n'attends plus que toi !

– Mon chéri, dit-elle, mon mignon,

Ça, c'est tout à fait mon rayon.

Je me sèche les cheveux en un instant,

Et j'arrive en deux temps trois
mouvements ! »

Quelque temps après,

Chaperon arrive dans la forêt.

Qui l'attend au coin du sentier ?

Le loup au regard de braise

Un filet de bave au coin de la gueule.

Une fois encore, la donzelle battit des
paupières

Et de son pantalon, sortit un revolver.

Une fois encore, elle visa à la tête

Et d'un seul coup extermina la bête.

À la fenêtre, le cochon

S'écria : « Bravo, Chaperon ! »

Ah ! Cochonnet, imprudemment tu te fiais
Aux demoiselles de la bonne société.
Car depuis lors, notre redresseur de torts
Outre ses deux manteaux de loup possède
   encore
Pour porter ses affaires dans les aéroports
Un superbe sac, un sac en peau de porc !

FIN

Roald Dahl est né au pays de Galles, en 1916, de parents fortunés d'origine norvégienne. Avide d'aventures, il part pour l'Afrique à dix-huit ans et travaille dans une compagnie pétrolière, avant de devenir pilote à la Royal Air Force pendant la Seconde Guerre mondiale. Il échappe de peu à la mort – son appareil s'étant écrasé au sol – et se met à écrire… mais c'est seulement en 1961, après avoir publié pendant quinze ans des livres pour les adultes, qu'il devient écrivain pour la jeunesse avec *James et la Grosse Pêche*. D'autres chefs-d'œuvre ne tarderont pas à suivre parmi lesquels *Charlie et la chocolaterie*, *Le Bon Gros Géant*, *Fantastique Maître Renard*… Ses livres ont été traduits dans plus de trente-cinq langues. Depuis sa mort, en novembre 1990, Felicity, sa femme, gère la fondation Roald Dahl, qui se consacre à des causes chères à l'écrivain : la dyslexie, la neurologie, l'illettrisme et l'encouragement à la lecture, d'ailleurs l'un des thèmes essentiels de *Matilda*, son dernier roman, paru en 1988.

Né en 1932, en Angleterre, **Quentin Blake** publie son premier dessin à l'âge de seize ans dans un magazine satirique. Il illustre ensuite de nombreux ouvrages pour enfants, notamment ceux de Roald Dahl : *Le Bon Gros Géant*, *Matilda* et *L'Énorme Crocodile*. Quentin Blake écrit et dessine aussi ses propres histoires. Son œuvre comporte plus de deux cents titres d'une variété extraordinaire. Ancien directeur du Royal College of Art, il est devenu en 1999 le premier ambassadeur-lauréat du livre pour enfants, une fonction destinée à promouvoir le livre de jeunesse. Quentin Blake partage sa vie entre Londres et l'ouest de la France.

Les autres titres de Roald Dahl
dans la collection Folio Cadet *premiers romans*

Roald Dahl :
bien plus que de belles histoires !

Saviez-vous que 10 % des droits d'auteur* de ce livre sont versés aux associations caritatives Roald Dahl ?

Roald Dahl est célèbre pour ses histoires et ses poèmes, mais on sait beaucoup moins qu'à maintes occasions il a mis son métier d'écrivain entre parenthèses pour venir en aide à des enfants gravement malades.

La Roald Dahl's Marvellous Children's Charity poursuit ce travail fantastique en soutenant des milliers d'enfants atteints de maladies neurologiques ou de maladies du sang – causes qui furent chères au cœur de Roald Dahl. Elle apporte aussi une aide matérielle primordiale en rémunérant des infirmières spécialisées, en fournissant des équipements et des distractions indispensables aux enfants à travers tout le Royaume-Uni. L'action de la RDMCC a également une portée internationale car elle participe à des recherches pionnières.

Vous souhaitez faire quelque chose pour les aider ? Rendez-vous sur
www.roalddahlcharity.org

Le Roald Dahl Museum and Story Centre est situé aux abords de Londres, dans le village de Great Missenden (Buckinghamshire) où Roald Dahl vivait et écrivait. Au cœur du musée, dont le but est de susciter l'amour de la lecture et de l'écriture, sont archivés les inestimables lettres et manuscrits de l'auteur. Outre deux galeries pleines de surprises et d'humour consacrées à sa vie de façon dynamique, le musée est doté d'un atelier d'écriture interactif (Story Centre) et abrite sa désormais fameuse cabane à écrire. C'est un lieu où parents, enfants, enseignants et élèves peuvent découvrir l'univers passionnant de la création littéraire.

www.roalddahlmuseum.org

THE ROALD DAHL MUSEUM AND STORY CENTRE

ROALD DAHL'S Marvellou Children's Charity

* Les droits d'auteur versés sont nets de commission.